Franklin y la canguro

Basado en los personajes de
Paulette Bourgeois y Brenda Clark

Franklin ya sabía contar hasta diez y atarse los cordones. Ya era mayor para ir solo hasta la casa de Oso. También podía salir a comprar un helado sin que nadie le acompañara.
Pero Franklin todavía no era mayor para quedarse en casa solo. Cada vez que sus padres salían, la abuelita iba a casa a cuidarle.

Una tarde, los padres de Franklin se estaban arreglando
para ir a una fiesta. Franklin y Enriqueta miraban
por la ventana.

—¿Cuándo llegará la abuelita? —preguntó Franklin—.
Quiero enseñarle mi puzzle nuevo. Además, prometió
traer bizcocho.

En ese instante, sonó el teléfono. Malas noticias.
La abuela estaba enferma. Había cogido un catarro.

Franklin se disgustó mucho. Su madre también.

—¡Con lo que me apetecía ir a esa fiesta! —suspiró.

—Contrataremos a una canguro —dijo el padre de Franklin.

—Yo no quiero una canguro —se quejó Franklin—. Yo quiero a la abuelita.

—Pero la abuelita hace de canguro —respondió su padre.

—No, no y no —contestó Franklin—. La abuelita hace de abuelita.

La madre de Franklin hizo unas cuantas llamadas. Al rato, anunció que doña Avellana podría hacer de canguro.

—¡¿Doña Avellana?! —exclamó Franklin—. Pero si nunca nos ha cuidado. No sabrá cómo hacerlo. No…

—Franklin —interrumpió su padre—. Enriqueta y tú os lleváis bien con doña Avellana. Ya veréis como lo pasáis bien con ella.

—Ya —dijo Franklin no muy convencido.

Doña Avellana llegó a las siete a casa.

—Para cualquier cosa que necesite, nos puede llamar a este número de teléfono —dijo la madre de Franklin.

—No se preocupen —dijo doña Avellana mientras despedía a los padres de Franklin—. Seguro que no habrá ningún problema, ¿verdad, Franklin?

Pero Franklin no estaba muy seguro.

Doña Avellana se volvió hacia Franklin y Enriqueta
y les dijo:

—¿Qué tal si me acompañáis mientras preparo la cena?

—¿Puedo hacer mi puzzle? —preguntó Franklin.

—Será lo primero que hagamos después de que termine
de preparar una rica cena —respondió doña Avellana.

Franklin frunció el ceño.

—Con la abuelita hacemos los puzzles lo primero de todo.

Poco después, doña Avellana llamó a Franklin
y a Enriqueta a cenar. Franklin inspeccionó la sopa.
    —¿Eso no serán coles de Bruselas?
¡Odio las coles de Bruselas! —exclamó.
    —Perdona, Franklin —dijo doña Avellana—.
No lo sabía.
    —La abuelita sí que lo sabe
—refunfuñó Franklin.

Cuando acabaron de cenar, la señora Avellana preguntó a Franklin y a Enriqueta qué querían de postre.

—La abuelita siempre trae bizcocho —respondió Franklin.

—Está bien. ¿Por qué no hacemos uno de chocolate? —sugirió doña Avellana.

Franklin sacó el azúcar, la harina, la mantequilla y el chocolate. Enriqueta sacó cazuelas y moldes. Franklin se sentía mejor conforme el dulce aroma iba llenando el cuarto.

En cuanto el bizcocho estuvo preparado,
doña Avellana ofreció a Franklin el primer trozo.

—¿Está rico? —preguntó.

Franklin asintió.

—Pero la abuelita siempre pone moscas
en el bizcocho —dijo.

—Ay, cariño —suspiró doña Avellana—.
Había olvidado lo mucho que os gustan las moscas.

—La abuelita nunca lo olvida —gruñó Franklin.

Mientras doña Avellana recogía la cocina, Franklin puso la radio.

—Bienvenidos a *El bosque de las sombras* —dijo el locutor.

Doña Avellana comentó frunciendo el ceño:

—Me parece que este programa no es para tortugas de tu edad. ¿No da mucho miedo?

—Para nada —respondió Franklin. Y contó una mentirijilla—: La abuelita me deja oírlo.

Doña Avellana suspiró.

Doña Avellana metió a Enriqueta en la cama.
Franklin se sentó en su sillón.

El programa comenzó con gemidos y quejidos
y gritos horripilantes. Después se oyeron crujidos
y chirridos, susurros y chillidos. Franklin miraba alrededor.
¿Qué era esa sombra que asomaba detrás de la puerta
de su cuarto? ¿Qué eran esos golpes que se oían
en el rincón?

Doña Avellana se encontró a Franklin temblando de miedo en el sillón. Apagó la radio y lo cogió en su regazo.

—Perdón, doña Avellana —gimoteó Franklin—. La abuelita no me deja oír *El bosque de las sombras*. Ahora me da miedo ir a la cama.

Franklin se echó a llorar.

Doña Avellana se quedó pensando un rato.
Al final dijo:

—Si yo fuera tu abuela, ahora te dejaría
quedarte despierto haciéndome compañía.

Franklin se secó las lágrimas.

—Sí, creo que eso haría la abuelita
—asintió Franklin.

Cuando sus padres volvieron a casa, Franklin y doña Avellana estaban tomando un chocolate caliente frente al fuego. Ya iban por el segundo cuenco de palomitas y por el tercer puzzle.

Antes de irse doña Avellana, Franklin
le dio un abrazo bien fuerte.

—Mi abuelita sigue siendo mi abuelita —le dijo—.
Pero tú eres mi canguro favorita.

Franklin

Dirige la colección: Trini Marull
Edición: Marta Gómez
Título original: *Franklin and the Babysitter*
Traducción del inglés: Begoña Oro
Preimpresión: JV, Diseño Gráfico, S.L.

De un episodio de la serie televisiva "Franklin",
producida por Nelvana Limited, Neurones France s.a.r.l.
y Neurones Luxembourg S.A.

Basado en los libros *Franklin* de Paulette Bourgeois y Brenda Clark.
Adaptación televisiva de Sharon Jennings; ilustrada por Mark Koren,
Alice Sinkner, Jelena Sisic y Shelley Southern.
Guión televisivo de Nicola Barton.

Franklin es una marca registrada de Kids Can Press Ltd.

ISBN: 84-216-9103-1
Depósito legal: M-45716-2002
Imprenta: Melsa